KB035847

오싹! 핼러윈 데이

SEOUL, 2010

오싹! 핼러윈 데이

초판 제1쇄 발행일 2010년 9월 20일
초판 제33쇄 발행일 2022년 3월 20일
글 알랭 M. 베르즈롱 그림 이민혜 옮김 이정주
발행인 박헌용, 윤호권 발행처 (주)시공사
주소 서울시 성동구 상원1길 22, 6-8층 (우편번호 04779)
대표전화 02-3486-6877 팩스(주문) 02-585-1247
홈페이지 www.sigongsa.com/www.sigongjunior.com

ISBN 978-89-527-8673-9 74860
ISBN 978-89-527-5579-7 (세트)

오싹! 핼러윈 데이

알랭 M. 베르즈롱 글 · 이민혜 그림 · 이정주 옮김

시공주니어

| 차 례 |

1장

감옥 견학이라고?

굳이 달력을 보지 않아도 내일이 핼러윈 데이(10월 31일에 아이들이 괴상한 복장을 하고 이웃집을 돌며 음식을 얻어먹는 축제 : 옮긴이)라는 걸 알아요.

야호! 쥬느비에브 선생님이 핼러윈을 맞아 견학을 간다고 했어요. 이번 특별 수업은 내 단짝 앙토니 발루아가 제안했어요. 그래서 선생님은 앙토니에게 직접 발표하라고 했지요.

"우리 반은…… 스카이다이빙을 배우러 갈 거야!"

앙토니의 난데없는 말에 모두들 깜짝 놀랐어요.

자비에 보리외가 겁에 질려 소리를 꽥 질렀어요.

"으아아아아악!"

"겁쟁이."

자비에의 짝꿍 소피 라로슈가 한심하다는 듯 한숨을 쉬었어요.

스카이다이빙이라니, 앙토니가 장난삼아 던진 말이었으면 좋겠어요. 난 비행기에 올라탈 생각만으로도 어지럼증이 났어요.

앙토니가 말했어요.

"둠둠, 너 얼굴이 하얗게 됐어. 꼭 초코 칩 없는

바닐라 아이스크림 같아!"

(둠둠은 내 별명이에요.) 비행기 문을 열고 허공에 뛰어내리는 나를 떠올리니까 아찔했어요.

앙토니가 자꾸 장난을 쳤어요.

"둠둠, 너 얼굴이 초록색으로 변했어. 꼭 시금치 같아."

순식간에 50미터씩 아래로 뚝 뚝 떨어지는데, 낙하산이 펴지지 않는 끔찍한 상상이 떠올랐어요.

앙토니가 외쳤어요.

"너, 얼굴이! 쥬느비에브 선생님, 이게 무슨 색이에요?"

"진홍색."

앙토니는 날 보며 말했어요.

"그래, 진홍색으로 변했어. 꼭 당근 같아!"

소피가 반대하며 외쳤어요.

"당근은 진홍색이 아니야!"

"그래, 하지만 당근을 꽉 잡아 비틀면 진홍색이 돼."

앙토니는 계속 떠들었어요. 보다 못한 선생님이 앙토니의 말장난을 막았어요. 난 자꾸만 얼굴빛을 바꾸는 카멜레온이 어떤 기분일지 알 것 같았지요.

"앙토니, 선생님은 도미니크의 원래 발그스레한 얼굴빛이 좋아. 그러니, 이제 사실대로 말해 줄래?"

선생님의 말에 아이들은 까르르 웃음을 터뜨렸어요. 앙토니는 아쉽다는 듯 말했어요.

"네, 알겠어요. 이번 특별 수업에는, 그동안 우리가 착하게 굴어서…… 옛날 감옥에 갈 거야!"

난 침을 꼴깍 삼켰어요. 감옥이라고요? 쇠창살, 감방과 죄수들이 있는 곳 말이에요? 그럴 바에야, 차라리 낙하산을 메고 뛰어내리는 편이 낫겠어요!

아니, 아니요, 그것도 싫어요!

2장

우락부락한 안내인을 따라

좀처럼 보기 힘든 장면이 펼쳐졌어요. 죄수 모자를 쓰고, 검은 바탕에 흰색 줄무늬 죄수복을 입은 30여 명의 아이들이 학교 버스에서 조르르 내렸어요. 장소에 딱 어울리는 복장이에요.

쥬느비에브 선생님이 견학 장소에 맞게 죄수처럼 꾸미고 오라고 했거든요. 몇몇 아이들은 종이를 공 모양으로 만들어 발목에 매달았어요. 어떤 아이들은 숯으로 얼굴에 수염을 그렸지요. 또 다른 아이들은 구아슈(물과 고무를 섞어 만든 불투명한 수채 물감 : 옮긴이)로 팔에 문신을 그리기도 했어요. 다들 한껏 들떠 있었어요. 거의 다요…….

옛날 감옥 건물에 들어서자마자 우리는 기념품 가게부터 찾았어요. 견학에서 빼먹으면 안 되는 곳이잖아요! 하지만 쥬느비에브 선생님은 우리에게 주의를 주며 중앙 홀에 모이라고 했어요.

"기념품 가게는 조금 이따가 갈 거야."

선생님은 투덜거리는 우리를 조용히 시켰어요. 곧이어 감옥을 안내해 줄 리샤르 아저씨가 나타나자 우리는 찍소리도 못했어요. 덩치가 굉장히 큰 아저씨였어요. 오른뺨에는 흉터가 기다랗게 나 있고, 희끗희끗한 머리는 딱 벌어진 어깨까지 치렁치렁 늘어져 있었어요. 반팔 티에 검은 조끼를 입고

념품 가게

있어서 울뚝불뚝한 팔뚝 근육이 유난히 돋보였어요. 한쪽 팔뚝에 하트 모양 문신이 있었는데, 하트 안에 '리샤르와 루'라는 남자 이름이 두 개 새겨져 있었어요.

리샤르와 루?

아저씨는 이상하게 생각하는 내 눈빛을 읽어 내고는 재빨리 말했어요.

"원래는 리샤르와 루시인데, 문신 그리는 사람이 시간이 없어서 글자를 다 못 썼어. 결국 나만 이상한 사람이 됐지. 난 맘이 약한 사람이야. 겉모습만 보고 판단하지 말아 줘."

아저씨는 힘주어 말했어요.

사실 아저씨의 목소리는 우람한 덩치에 어울리지 않게 아주 부드러웠어요. 아저씨는 우리의 죄수

복장을 보고 훌륭하다고 칭찬했어요.
자비에 보리외가 허리에 손을 올리며 조금 따지는 투로 물었어요.
"근데 왜 아저씨는 변장을 안 했어요?"
"그래, 네 말이 맞다."
아저씨 손은 우리 눈보다 빨랐어요. 우리 머리 위로 흔들고 있는 저 복면은 대체 어디서 난 걸까요? 아저씨가 복면을 쓰자, 안내인이 아니라 마치 사형 집행인처럼 보였어요!
밖은 10월 31일치고는 따뜻한데, 안은 오싹오싹했어요…….

3장

으스스한 감방

우리는 옛날 감옥 입구로 통하는 어두컴컴한 복도를 따라 걸었어요. 난 앞으로 가면 갈수록 기분이 이상했어요. 마치 사방에서 벽들이 날 가두려는 것 같았어요. 게다가 눅눅한 곰팡내까지 나서 싫었어요. 우웩!

리샤르 아저씨는 자기도 예전에 진짜 감옥에 간

적이 있다고 했어요. 하지만 왜 감옥에 갔는지는 얼버무렸어요. 그저 '어린 시절의 실수' 라고만 했어요. 첫사랑에 실패한 아픔 때문에 감옥살이를 했대요.

"감옥 안내인으로 일하니까, 평범한 일상에서 벗어날 수 있어서 좋아."

아저씨는 재게 걸으며 경쾌하게 말했어요.

"이곳은 1986년에 박물관으로 바뀌었는데, 원래는 1822년에 건축가 프랑수아 바이아르제가 감옥으로 지은 거야."

앙토니가 어느새 리샤르 아저씨 옆에 와서 끼어들었어요.

"아하, 그러니까 그 아저씨가 이 감방의 우두머리네요!"

아저씨는 너털웃음을 터뜨리며 앙토니의 어깨에 팔을 둘렀어요.

“요 녀석, 맘에 드네!”

“저도요. 저도 제가 맘에 들어요.”

앙토니는 씩 웃었어요.

리샤르 아저씨는 감옥을 짓는 데 쓰인 돌의 나이를 말하면서 감옥이 얼마나 오래되었는지 알려 주었어요.

"그런데 건물이 낡다 보니 시간이 지날수록 자꾸 많이 새."

쥬느비에브 선생님이 놀란 눈으로 물었어요.

"새다니요? 탈옥 말인가요?"

아저씨가 대답했어요.

"아니요, 그 샌다는 말이 아니라, 배관 문제로

물 새는 곳이 많다는 얘기예요."

복도 끝에 다다르자 아저씨는 육중한 철문을 천천히 열었어요. 철문 뒤로 으스스한 감방들이 죽 있었어요. 차갑고 축축한 바람이 복도를 휙 휩쓸고 지나갔어요. 천장에는 전구만 덩그러니 매달려 희미하게 복도를 비췄어요. 음산한 곳이었어요. 핼러윈을 즐기기에 이보다 더 고약한 곳은 없을 거예요. 밤 12시에 공동묘지를 지나가면 또 모를까요!

리샤르 아저씨가 얘기했어요.

"그동안 이 감옥에 갇혔던 죄수들은 10만 명이야."

나는 친구들의 뒤를 따라 조심조심 걸었어요. 복도 한가운데로 걸으려고 애썼지요. 자꾸 불길한 생각이 나서요. 나는 벌렁거리는 가슴을 진정시키려고 했어요. 하지만 무시무시하게 생긴 죄수들이 쇠창살 사이로 손을 뻗어 날 막 잡아끌 것만 같았어요.

리샤르 아저씨는 우리를 '독방'에 데려가려고 했던 것 같아요. 독방은 가장 말 안 듣는 죄수들을 가두는 지하 감방이래요.

"오늘은 독방에 쥐와 물뱀이 있어서 들어갈 수가 없어."

후유, 나한테는 다행이었어요! 하지만 친구들은 실망했어요. 아저씨는 그걸 놓치지 않았지요.

"대신에 아주 캄캄한 어둠을 경험해 보고 싶지 않니? 너희들이 선생님 말을 안 들어서 지하 독방에 갇히는 벌을 받았다고 생각해 봐!"

"좋아요오오오오오오오오오!"

아이들은 한목소리로 외쳤어요. 딱 한 명만 빼고요. 나요.

아저씨는 우리를 잔뜩 골탕 먹일 준비가 되었다는 표정으로 박수를 두 번 쳤어요.

짝짝!(갑자기 불이 꺼졌어요!)

짝짝!
?

짝짝!(후유, 불이 다시 들어왔어요.)

"자, 우린 몇 초 동안 경험했지만, 죄수들은 깜깜한 독방에서 닷새나 있기도 했어!"

나는 자꾸만 불길한 생각이 들어서 가슴이 조마조마했어요.

건물의 역사를 설명하는 리샤르 아저씨의 말은 하나도 들리지 않았어요.

그 순간, 누가 내 어깨를 짚었어요. 나는 날 독방에 처넣으려는 죄수의 유령인 줄 알고 깜짝 놀랐어요.

"저요?!"

내가 잘못 생각했어요. 내 어깨를 짚은 손은 내가 괜찮은지 보려는 소피의 손이었어요……. 그것도 모르고 난 얼떨결에 손을 들고 말았지요.

리샤르 아저씨는 나를 가리키며 말했어요.

"오! 지원자니?"

잠시 후, 나도 모르는 사이에 내가 쇠창살 안에 있는 거예요! 철컥! 멍해 있던 나는 자물쇠 돌아가는 소리에 정신을 차렸어요. 그제야 알았어요. 난 감옥에 갇혔어요!

4장 감옥살이

감방 밖에 있는 친구들은 낄낄대며 장난을 쳤어요.

앙토니가 우스갯소리를 했어요.

"둠둠, 꼭 모노폴리 게임(가짜 종이돈을 주고받으며 땅과 집을 사고파는 놀이 : 옮긴이) 같아. 넌 감옥에 있으니까 앞으로 나갈 수도 없고, 200달러(캐나다의 화폐 단위 : 옮긴이)도 못 받아."

나는 공포에 떨었어요. 이렇게 꽉 막힌 공간은 싫어요. 내 방보다 크다고 생각했는데, 들어와 보니까 우리 집 화장실보다도 작아요.

나는 숨이 꺽꺽 찼어요. 내가 갑갑해하는 걸 보고 앙토니가 말했어요.

"숨 쉬기 힘들면, 쇠창살 사이로 입을 내밀어 봐."

나와 내 친구 사이는 1미터밖에 안 됐지만, 우리 사이엔 건널 수 없는 강이 있는 것 같았어요.

그 순간 리샤르 아저씨가 없어졌다는 걸 알았어요. 아저씨가 어디 간 걸까요? 갑자기 내 뒤에서 잔기침 소리가 났어요. 감방에는 나 혼자만 갇힌 게 아니었어요! 덩치가 산만 한 아저씨랑 같이 갇힌 거였어요. '어린 시절의 실수'로 벌을 받았다는 꺼림칙한 아저씨랑 말이에요.

아저씨는 굵직한 막대기를 들고 나한테 다가왔어요! 저 복면 뒤로 어떤 표정을 하고 있을까요? 날 때려

죽이려는 걸까요? 아니면 날 고문하려는 걸까요?

아저씨는 날 안심시켰어요.

“이건 내가 만든 금속 탐지기야. 난 일벌레거든. 자, 양팔을 벌려 봐!”

나는 아저씨가 하라는 대로 고분고분 따랐어요. 로봇처럼요. 리샤르 아저씨는 탐지기를 내 팔 밑에 대고 왔다 갔다 했어요.

“간질! 간질! 간질!”

아이들은 키들키들 웃었어요. 나만 빼고요. 내 관심은 오로지 감방에서 빨리 빠져나가는 것뿐이었어요.

그런데 생각지도 못한 일이 일어났어요. 금속 탐지기가 내 죄수복 주머니 앞에서 삡! 삡! 삡! 날카로운 소리를 내는 거예요. 말도 안 돼요! 나는 금속 같은 게 있을 리 없다고 손사래 치며 말했어요. 하지만 바싹바싹 타는 속은 감출 수가 없었지요.

"탐지기가 잘못된 거예요."

아저씨가 당황스런 표정을 지으며 말했어요.

"이제껏 그런 적이 한 번도 없었는데. 난 이걸 철석같이 믿어. 네 주머니 속을 한번 볼까?"

차라리 빨리 검사받고 여기서 나가는 게 나을 것 같았어요. 난 얼른 주머니에 손을 넣었어요. 그런데 뭔가 손에 걸렸어요…….

아저씨는 한쪽 눈썹을 올리며 말했어요.

"자, 이리 내 봐. 이건 기념품 가게에서 파는 램프 달린 만년필이잖아!"

깜짝 놀란 아이들의 소리가 복도를 뒤흔들었어요.

이게 왜 여기 있지? 나도 어찌 된 건지 모르겠어요. 답답해요…….

내 머릿속에 딱 한 문장이 스쳤어요.

"내 변호사를 불러 줘요!"

5장

콩콩, 거짓말 탐지기

어떻게 램프 달린 만년필이 나한테서 나왔는지 모르겠어요. 내가 도둑이라고요? 내가요? 억울해요…….

리샤르 아저씨는 램프의 불빛을 내 얼굴에 비췄어요.

"어떻게 된 건지 설명해 볼까?"

난 어느새 심문받고 있었어요. 손목에 수갑만 차면

아주 딱 맞을 거예요…….

앙토니가 도와준답시고 나섰어요.

"잠깐 미쳤었다고 해."

"뭐? 너 미쳤어?"

앙토니가 재촉했어요.

"미친 건 내가 아니라 너지! 어서 잠깐 정신이 나가서 그랬다고 말해!"

자비에 보리외는 감방 앞에 다가와서 동전 꾸러미를 내밀었어요.

"리샤르 아저씨, 이거 받으세요. 3달러 61센트(캐나다의 화폐 단위, 100센트는 1달러이다. : 옮긴이)예요. 이 보석금(죄를 지은 사람을 풀어 줄 때 죄인에게 내게 하는 보증금 : 옮긴이)으로 내 친구 좀 풀어 주세요."

아저씨는 자비에의 말에 감동한 눈치였어요. 나도 코끝이

찡했어요. 얼마 안 되는 돈이지만요. 정말 내 몸값이 그것밖에 안 될지도 모르지요.

리샤르 아저씨가 말했어요.

"구식이기는 하지만, 거짓말 탐지기를 써 보자. 너, 겨드랑이에 땀 나니?"

"네? 그런데 저기…… 겨드랑이가 어디예요?"

쥬느비에브 선생님이 친절하게 설명해 줬어요.

"양쪽 팔 밑 오목한 부분이야."

"아니요. 엄마가 난 너무 어려서 거기에는 땀이 안 난다고 했어요."

아저씨는 킁킁 내 몸 냄새를 맡은 뒤, 만족한 듯 큰 소리로 말했어요.

"거짓말이 아니네! 난 사실대로 말하지 않으면 겨드랑이가 화끈거리면서 땀이 나고 냄새가 나거든."

후유, 살았어요! 정말 다행이에요!

리샤르 아저씨는 아이들에게 램프 달린 만년필을

보여 주며 말했어요.

"사실은 몰래카메라였어. 내가 범인이야! 너희 친구가 눈치채지 못하게 주머니에 살짝 집어넣었지."

그러자 자비에가 나서서 당당하게 말했어요.

"그럴 줄 알았어. 난 도미니크가 훔치지 않은 줄 진작 알았어. 내 친구는 범인이 아니야. 그러니까…… 그러니까……."

쥬느비에브 선생님이 도와줬어요.

"무죄."

"그래요, 무죄, 무죄. 진짜 무죄!"

앙토니가 얼른 말했어요.

"됐어, 나도 알아. 한 번만 말해도 돼."

자비에는 토라져서 입을 삐죽였어요.

난 내가 갓난아기처럼 죄가 없다는 사실에 반쯤 마음이 놓였어요. 나는 리샤르 아저씨를 간절하게 쳐다보고, 다시 쥬느비에브 선생님을 쳐다봤어요.

"이 재미있는 감옥 체험을 이제 다른 친구에게 넘기면 안 될까요?"

아저씨가 대답했어요.

"그래, 그렇게 재밌었다니 넌 석방(죄수를 감옥에서 풀어 주는 일 : 옮긴이)이다!"

아저씨는 바지 주머니를 뒤적거렸어요. 그런데 갑자기 울상을 지었어요.

"이런, 씨! 어쩌지? 네 고생이 아직 안 끝난 것 같구나. 열쇠가 없어!"

나는 인상을 찌푸렸어요.

"에이, 장난치지 마세요, 아저씨. 아까도 완전히 속았잖아요."

하지만 난 아저씨가 연기하는 게 아니란 걸 알았어요! 사람 살려!

쥬느비에브 선생님은 쇠창살 사이로 손을 내밀어

엄마처럼 내 손을 꼭 잡았어요.

"우리가 도와줄게, 도미니크. 걱정 마. 용기 잃지 말고, 힘내!"

난 머리를 가로저었어요. 이렇게까지 됐는데, 더한 일도 일어나지 않겠어요? 이렇게요!

짝짝!

짝짝!

아저씨가 미안해하며 말했어요.

"아, 모기 잡은 거야!"

앙토니는 해결책이 딱 하나밖에 없다고 심각하게 말했어요. 다이너마이트로 감방 문을 부수면 된대요.

"나 그거 얻을 수 있어. 우리 아빠가 철물점 주인이랑 친하거든. 감옥을 펑! 하고 터뜨리는 거야. 펑! 하고 말이야, 둠둠!"

나는 와락 짜증을 냈어요.

"그럼 아저씨랑 나는?"

앙토니는 계속 지껄였어요.

"그런 것까지 신경 쓰지 마. 아니면 우리가 일요일마다 면회 올게."

소피는 입가에 미소를 띠며 케이크 속에 톱을 숨겨 오겠다고 했어요.

"내가 요리만 배우면 돼. 안 그래도 이번에 배우려고 했어. 그때까지만 기다려. 어떤 케이크

좋아해? 초콜릿? 바닐라?
딸기?”

나는 심드렁하게 말했어요.

“맘대로 해. 맛있게나 만들어 봐.”

앙토니는 케이크 얘기에 놀란 듯 두 발로 콩콩 뛰며 말했어요. 감옥에서 죄수들끼리 서로 잡아먹는다는 소문이 있다고요. 감옥에서 주는 밥이 적어서 간수(감옥을 지키는 사람 : 옮긴이)들에게 항의하는 거래요.

나는 리샤르 아저씨를 힐끗 쳐다봤어요. 아저씨 배에서 꼬르륵꼬르륵 소리가 크게 났어요.

"미안해, 배가 좀 고파서……."

난 너무 놀라 친구들에게 소리쳤어요.

"어서! 누구 먹을 거 없어?"

6장 열쇠

리샤르 아저씨는 복면을 벗고 곰곰 생각에 잠겼어요.

"아, 내가 열쇠를 어디다 뒀더라?"

아저씨는 좁다란 간이침대에 엉거주춤하게 걸터앉았어요. 아저씨의 무게 때문에 침대가 금방이라도 무너질 것 같았지요. 아저씨는 우들우들

떠는 날 보며 진심으로 미안해했어요.

"내가 좀 덜렁쇠야. 깜빡깜빡 잘 까먹지. 음……
그래, 생각났어! 열쇠는 우리 할머니 집에 있을 거야!
내가 어제 거기서 잤거든."

아저씨는 쥬느비에브 선생님에게 전화번호를 적은
쪽지를 건네며 할머니한테 전화해 달라고 부탁했어요.

"여기서 가까운 데 사시니까 금방 오실 거야. 아마
한 시간 안에는 오실 거야."

나는 기가 막혀서 소리쳤어요.

"한 시간이라고요? 그건 백 년이나 마찬가지예요!"

게다가 난…… 오줌이 마렵단 말이에요…….

둘레둘레 둘러봐도 화장실은 보이지 않았어요.
리샤르 아저씨는 안절부절못하는 날 보며 눈치를
챘는지, 간이침대 밑에서 양동이를 꺼내 흔들어
보였어요.

"이게 우리의 화장실이야. 여기다 눠."

말도 안 돼요. 친구들이 다 보는 앞에서 해결하라니.

"됐어요. 참을래요……. 여기서는 볼일 보는 것도 맘대로 못 해요."

아저씨는 껄껄 웃더니 노래를 부르기 시작했어요. 참 상황에 맞는 노래였지요.

"감옥의 문…… 곧 닫히려 하네, 다른 죄수들처럼 나도 여기서 생을 마치겠네……."

아저씨 유머도 앙토니에 못지않아요.

아예 복면까지 쓰고 '무시무시한 감옥'이라는 옛 노래를 흥얼거렸어요.

"죄수가 있었네, 간수의 딸밖에 찾아오지 않는 죄수가 있었네. 탐 디디 디디 람!"

리샤르 아저씨는 인기 가요 '감옥 대소동'의 후렴구까지는 부르지 못했어요. 아저씨의 할머니가 잰걸음으로 나타났거든요. 쥬느비에브 선생님은

할머니를 따라잡으려고 나름대로 애쓴 것 같은데, 한참 뒤처져서 왔어요. 지팡이를 짚은 호호백발 할머니가 나타날 거란 내 생각은 틀렸어요.

할머니는 열쇠 꾸러미를 흔들면서 말했어요.

"빨리 가야 돼. 안 그러면 벌금 물어. 급하게 오느라고 내 할리 데이비슨 오토바이(세계적으로 유명한 미국산 대형 고급 오토바이 : 옮긴이)를 장애인 주차장에 세워 놨어. 여기 열쇠만 주고 가마."

할머니는 말라서 입고 있는 가죽점퍼가 커 보였지만, 기운만큼은 철철 넘쳤어요. 할머니가 쇠창살 사이로 리샤르 아저씨에게 열쇠를 넘겼어요.

까만 선글라스로 눈을 가린 할머니는 무표정한 얼굴로 말했어요.

"칠칠치 못한 녀석!"

앙토니는 할머니 옷차림을 보고 감탄했어요.

할머니는 이를 갈면서 말했어요.

"꼬마야, 이 할미는 핼러윈 복장을 한 게 아니야!"

리샤르 아저씨가 감방 자물쇠에 열쇠를 집어넣고 왼쪽으로 돌렸어요. 그런데 찰카닥 열리는 소리가 나지 않았어요. 난 이마에 땀방울이 송골송골 맺혔어요. 혹시 폭주족 할머니가 급히 나오느라 열쇠를 잘못 갖고 온 게 아닐까요? 나는 얼른 재수 없는 생각을 떨쳐 냈어요.

아저씨가 기억해 냈어요.

"아, 오른쪽이지. 늘 헷갈려."

아저씨는 반대로 열쇠를 돌렸어요. 찰카닥! 이번에는 성공이에요.

난 얼른 나가서 자유를 누리려고 온 힘을 다해 문을 밀었어요. 빨리 밖에 나가지 않으면 내가 어떻게 될지 몰라요. 얼마나 힘껏 밀었는지 살다 살다 처음으로 겨드랑이에서 땀이 다 났어요.

리샤르 아저씨가 문을

열면서 말했어요.

"애, 반대야. 문을 잡아당겨야지."

밖으로 나오자, 쥬느비에브 선생님이 날 꼭 안아 줬어요.

"우아, 이제 우리 차례야!"

아이들이 아우성치며 옆에 있는 널찍한 감방으로 쪼르르 들어갔어요. 자비에는 쇠창살을 잡고 덜덜 떨면서 내 흉내를 냈어요.

"나가고 싶어! 나가게 해 줘! 여기서 벌 받고 싶지 않아! 나는 무죄 중의 무죄란 말이야!"

그런데 아저씨가 난감한 표정을 지었어요.

"너희들, 그 방엔 들어가지 말았어야 했는데!"

덜컥 겁이 난 자비에가 물었어요.

"왜요?"

"그 방 열쇠는 내 까만 바지 주머니에 있는데, 그 바지가 지금 세탁소에 있거든."

자비에는 감방 쇠창살을 붙들었어요.

눈이 휘둥그레진 아이들은 곧 판결이 떨어질 리샤르 아저씨의 입만 쳐다봤어요.

"근데 그 세탁소가 주말 내내 문을 닫아……."

난 아저씨에게 한쪽 눈을 찡긋거렸어요. 그러자 아저씨가 큰 소리로 외쳤어요.

"해피 핼러윈!"

짝짝!

"으아악!"

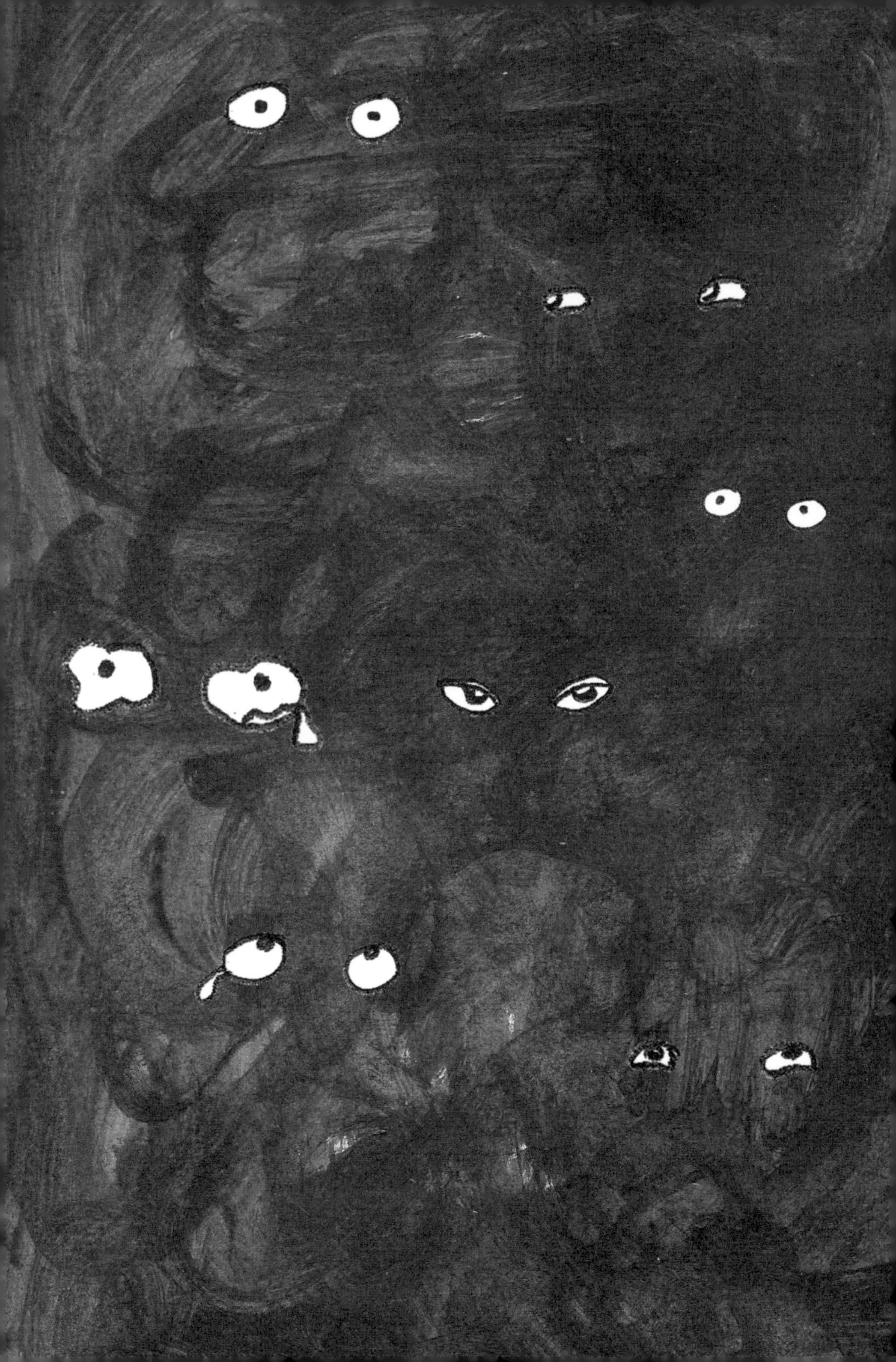

작가의 말

도미니크가 자기를 감옥에 보낸 날 용서해 줄까요? 또 '에이, 씨!'를 내뱉을지 몰라요.

전 이 이야기의 장소와 분위기를 생생하게 묘사하기 위해 직접 감옥에 갔어요! 네, 진짜예요! 도둑질을 하다 잡혀서 갈 수도 있었겠지만, 안심해요, 그런 일은 아니에요. 캐나다 퀘벡 박물관과 연결된 트루아리비에르의 옛 감옥을 방문했지요. 그 자리에서 이 이야기를 떠올렸어요.

솔직하게 말하면, 그때 안내인이 했던 몇 마디를 이 책에 넣었어요. 안내인이 예전에 감옥에 다녀온 적이 있다고 했거든요. 어찌 보면 제가 안내인의 말을 훔친 거나 다름없어요. 그래요, 저는 죄인이에요. 하지만 판사님, 전 그저 아이들을 웃기려는 죄밖에 없어요!

다행히 전 한 시간 만에 감옥에서 빠져나올 수 있었답니다. 한 시간짜리 관광이었거든요.

알랭 M. 베르즈롱

옮긴이의 말

여러 어린이 책을 읽어 봐도 알랭 M. 베르즈롱 선생님처럼 반짝이는 재치와 유머가 뛰어난 분은 못 본 것 같아요. 게다가 이렇게 으스스한 '감옥'을 배경으로 한 책은 살다 살다 처음 봤어요. 처음엔 표지를 보고 우리 도미니크에게 무슨 일이 생긴 건지 걱정이 앞섰지요. 하지만 쓸데없는 걱정이었어요. 역시나 기발하고, 엉뚱하고, 재미난 이야기였지요. 이번에도 자판을 두드리면서 얼마나 키득거렸는지 몰라요.

그런데 진짜 걱정이 생겼어요. '옮긴이의 말'을 어떻게 써야 할지 모르겠거든요. 베르즈롱 선생님처럼 글들이 수르르 나오면 좋으련만, 전 몇 시간째 붓방아질만 하고 있어요. 저야말로 감옥에 갇혔어요. 열쇠도 없어요. 그래서 말인데요, 그냥 여기서 끝내려고 하니까, 여러분이 저 좀 봐주면 안 돼요? 제발 '에이, 씨!'라고 하지 마세요. 이번만 눈감아 주면, 다음에 꼭 재밌는 책 번역해서 죗값 갚을게요!

이정주